헨리와 머지

그리고 행복한 고양이

글 신시아 라일런트 | 그림 수시 스티븐슨

헨리 🦴 머지
그리고 행복한 고양이

초판 발행	2021년 1월 15일
글	신시아 라일런트
그림	수시 스티븐슨
번역및콘텐츠감수	정소이 박새미 유아름
콘텐츠제작참여	최선민 선생님(충남 보령 성주초) 김수정 선생님(경기 부천 부인초)
	권재범 선생님(충남 계룡 금암초) 박은정 선생님
책임편집	정소이 박새미 김보경
디자인	모희정 김진영
저작권	김보경
마케팅	김보미 정경훈
펴낸이	이수영
펴낸곳	(주)롱테일북스
출판등록	제2015-000191호
주소	04043 서울특별시 마포구 양화로 12길 16-9(서교동) 북앤빌딩 3층
전자메일	helper@longtailbooks.co.kr
ISBN	979-11-86701-75-1 14740

롱테일북스는 (주)북하우스 퍼블리셔스의 계열사입니다.

이 도서의 국립중앙도서관 출판예정도서목록(CIP)은 서지정보유통지원시스템 홈페이지(http://seoji.nl.go.kr)와 국가자료종합목록 구축시스템(http://kolis-net.nl.go.kr)에서 이용하실 수 있습니다. (CIP 제어번호 : CIP2020053059)

Contents

본 워크북에 담긴 한국어 번역의 페이지는 영어 원서의 페이지와 최대한 동일하게 유지했습니다.

영어 원서를 읽다가 이해가 가지 않는 부분이 있다면, 워크북의 같은 페이지를 펼쳐 보세요! 궁금한 부분의 번역을 쉽게 확인할 수 있습니다.

영어 원서를 내용상 총 여섯 개의 파트로 나누어, 각 파트별로 다양한 액티비티를 담았습니다. 재미있게 영어 원서를 읽고 액티비티를 풀어 나가다 보면 영어 실력도 쑥쑥 향상될 것입니다!

부록으로 제공되는 MP3 CD에는 '듣기 훈련용 오디오북'과 '따라 읽기용 오디오북'의 두 가지 오디오북이 담겨 있습니다.

'듣기 훈련용 오디오북'은 미국 현지에서 제작되어 영어 원어민들을 대상으로 판매 중인 오디오북과 완전히 동일한 것입니다.

'따라 읽기용 오디오북'은 국내 영어 학습자들을 위해서 조금 더 천천히 녹음한 것으로 '듣기 훈련용 오디오북'의 빠른 속도가 어렵게 느껴지는 초보 학습자들에게 유용할 것입니다.

이게 뭐지?

어느 날 밤 헨리와
헨리의 아빠
그리고 헨리의 큰 개 머지는
텔레비전을 보고 있었다.

갑자기 머지가 문을 향해
달려가더니
짖었다.

헨리의 아빠가 문을
열었다. 계단에
앉아 있는 것은
헨리가 여태까지 본 것 가운데
가장 볼품없는 고양이였다.

고양이는 축 처진 배,

삐쩍 마른 다리,

그리고 뭉개진 말린 자두처럼 보이는

털을 갖고 있었다.

헨리와 헨리의 아빠

그리고 헨리의 큰 개 머지는

문에 서서

그 볼품없는 고양이를 바라보았다.

"안녕 새끼 고양이야." 헨리가 말했다.

"너는 이것이 새끼 고양이라고 확신하니?"

헨리의 아빠가 말했다.

"길을 잃은 고양이일지도 몰라요."
헨리가 말하면서, 그것을 쓰다듬었다.
"분명 그렇겠지." 헨리의 아빠가 말했다.
"저건 내가 여태까지 본 것 가운데
가장 볼품없는 고양이거든."

아빠가 고양이를 데리고
집으로 들어가는 동안
헨리와 머지는 뒤를 따라갔다.
머지의 꼬리가 힘차게 흔들리고 있었다.

"이 고양이는 뭉개진 말린 자두처럼
생겼어요." 헨리가 말했다.
"하지만 착하네요."
"골칫덩어리치고는 착한 거겠지."
헨리의 아빠가 말했다.

그들 셋은 고양이가

우유 세 그릇을 연달아

마시는 것을 지켜보았다.

"고양이가 계속 있어도 돼요?" 헨리가 물었다.

"우리가 고양이를 위한 집을 찾을 때까지만."

그의 아빠가 말했다.

그는 그 고양이를 뚫어지게 바라보았다.

"너는 이 고양이가 자신이 이렇게 볼품없다는 것을

알고 있다고 생각하니?" 헨리의 아빠가 물었다.

머지는 그 방문객의 턱에 묻은

우유를 핥고 있었다.

"머지는 몰라요."

헨리가 말했다.

"머지는 이 고양이를 좋아해요."

"그래." 헨리의 아빠가 말했다.

"하지만 머지는 칠면조 모래주머니도 좋아하지."

좋은 엄마

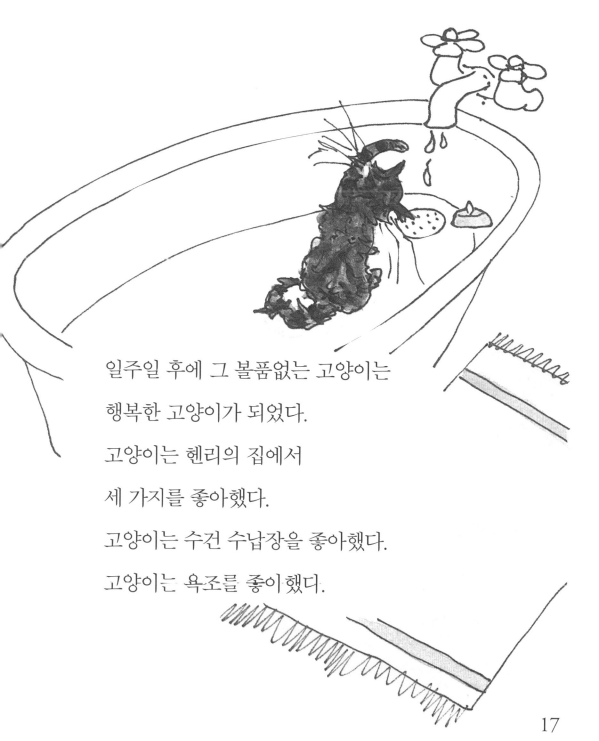

일주일 후에 그 볼품없는 고양이는

행복한 고양이가 되었다.

고양이는 헨리의 집에서

세 가지를 좋아했다.

고양이는 수건 수납장을 좋아했다.

고양이는 욕조를 좋아했다.

그리고 고양이는 머지를 좋아했다.

일주일이 지나자

그 볼품없는 고양이는

머지의 엄마가 되었다.

고양이는 항상 머지를 씻겨 주었다.

고양이는 머지의 귀를 씻겨 주었다.

고양이는 머지의 눈을 씻겨 주었다.

고양이는 심지어 머지의 더러운 발까지 씻겨 주었다.

"*우웩.*" 헨리가 말했다.

그 고양이는 또한 머지가

올바른 예절을 지키게 했다.

머지는 물이 담긴 그릇 앞에서

자기 차례를 기다려야만 했다.

머지는 녀석의 강아지 장난감들도
나눠 써야만 했다.

머지는 심지어 녀석의 크래커도 나눠 먹어야 했다.
하지만 머지는 신경 쓰지 않았는데,
왜냐하면 머지 또한,
그 고양이를 좋아했기 때문이었다.

헨리의 엄마와 헨리의 아빠는

자신들이 그 고양이를

어떻게 해야 할지 고민했다.

그들은 그 고양이를 좋아했다.

하지만 머지를 돌보는 것은

개 다섯 마리를

돌보는 것과 같았다.

그들은 더 이상의 애완동물을

원하지 않았다.

헨리의 엄마는 그 고양이에게
집을 찾아 주기 위해
전단지들을 만들기로 결심했다.
헨리가 엄마를 도왔다.

"그것들에 고양이의 사진은 넣지 말아요."
헨리의 아빠가 말했다.
"안 그러면 우리가 그 고양이를
영원히 기르게 될 거예요."

헨리와 머지는 전단지들을 들고
동네를 걸어 다녔다.
그들은 식료품점에 한 장
그리고 약국에 한 장
그리고 음반 가게에도 한 장을 붙였다.

그들은 나무에

많은 전단지들을 붙였다.

그리고 머지는 실수로

한 장을 먹었다.

그 전단지들에는 뭉개진 말린 자두에 대한

어떤 말도 쓰여 있지 않았다.

헨리와 머지가
집에 돌아왔을 때,
헨리의 아빠와 헨리의 엄마는
고양이와 함께
소파 위에 앉아 있었다.

헨리의 엄마가 말했다.
"고양이들은 착하네요."
헨리의 아빠가 말했다.
"심지어 볼품없는 고양이들도요."

머지는 녀석의 새 엄마와 함께 있기 위해

소파 위로 올라갔다.

헨리가 그다음에 올라갔다.

행복한 고양이는 계속 가르랑거리며 울었다.

놀라운 일

많은 사람들이 전단지를 보고

고양이를

보러 왔다.

그들 중 몇 사람은
매우 무례했다.
그들은 고양이를 놀렸다.
머지가 그들을 지켜보았고,
녀석의 털이 곤두섰다.

많은 사람들이

자신들의 고양이를 잃어버렸기 때문에

고양이를 보러 왔다.

하지만 그들은 항상 말했다.

"우리 고양이는 하얀색이에요."

또는,

"우리 고양이는 회색이에요."

아무도 절대 이렇게 말하지 않았다.

"우리 고양이는 뭉개진 말린 자두처럼 생겼어요."

그 고양이를

아무도 원하는 것 같지 않았다.

그러던 어느 날

놀라운 일이 일어났다.

헨리의 집 앞에

경찰차 한 대가 주차되었고,

한 경찰관이

헨리의 집 초인종을 울렸다.

헨리와 헨리의 아빠

그리고 헨리의 큰 개 머지는

문으로 갔다.

"무슨 일이신가요?"

헨리의 아빠가 경찰관에게 물었다.

(헨리의 아빠는 혹시 머지가 다른 사람의

지갑을 먹은 것은 아닌지 생각하고 있었다.)

하지만 그 경찰관은 전단지들 가운데
한 장을 본 것이었다.
그는 자기 고양이를 찾고 있었다.

그는 그 고양이가 다른 고양이들과는
다르다고 말했다.
그는 그 고양이가 "독특하다"라고 말했다.
그는 그 고양이가 뭉개진 말린 자두처럼
생겼다고 말했다.

헨리가 고양이를 데리러

달려갔다.

그가 고양이와 함께 돌아왔을 때,

그 경찰관이 외쳤다. "데이브!"

헨리와 헨리의 아빠는

서로를 바라보았다.

"*데이브라고?*" 헨리의 아빠가 말했다.

데이브는 헨리의 품에서 뛰쳐나와

경찰관의 품에 안겼다.

경찰관은 데이브의 코에

뽀뽀했다.

"저는 녀석을 되찾아서

정말 기뻐요." 경찰관이 말했다.

헨리는 머지를 바라보았는데,
녀석은 데이브를 바라보고 있었다.
"아저씨네 고양이가 우리 개를 좋아해요."
헨리가 경찰관에게 말했다.

경찰관이 머지를 바라보았다.

"나도 그것을 알겠구나." 그가 말했다.

"네 개가 굉장히 깨끗한 귀를 가지고 있잖니."

갑자기 헨리는

목이 메었다.

그는 머지가 녀석의 엄마를

잃는 것을 원하지 않았다.

비록 머지의 엄마가

데이브라고 불린다고 해도.

경찰관은 작별 인사를 했고,
그는 자신의 행복한 고양이를
집으로 데려갔다.
고양이 데이브가 떠났을 때,
헨리와 머지는 몹시 슬펐다.

수건 수납장은 닫혔다.

욕조는 비어 있었다.

강아지 장난감은 그대로 있었다.

헨리는 조금 울고

낮잠을 자야만 했다.

머지는 많은 크래커를 먹고

낮잠을 자야만 했다.

헨리의 아빠와 헨리의 엄마는

그들 둘 모두를 더 많이 안아 주어야만 했다.

다음 날

커다란 상자가 그들의 현관에 있었다.

그 위에 붙은 쪽지에는 이렇게 쓰여 있었다.

머지에게 데이브로부터.

상자 안에는

커다란 개뼈다귀 서른 개가 있었다!

그리고 그것들 아래에는

황금색 경찰관 배지가 있었다!

머지는 녀석의 몫으로

개뼈다귀들을 가졌다.

하지만 녀석은 경찰관 배지를

헨리와 나누어 가졌다.

고양이 데이브가 녀석에게

아주 훌륭한 예절을 가르쳤던 것이다.

Activities

영어 원서를 총 여섯 개의 파트로 나누어,
각 파트별로 다양한 액티비티를 담았습니다.

각 파트의 영어 원서 페이지는 롱테일북스에서 출간된
'롱테일 에디션'을 기준으로 합니다!
수입 원서와는 페이지 구성에 차이가 있으니 참고하세요.

VOCABULARY

밤

night

아버지

father

보다

watch

문

door

짖다

bark

열다

open

계단

steps

허름한 (최상급 shabbiest)

shabby

축 처진

saggy

배

belly

깡마른

skinny

다리

leg

털

fur

짓이겨진

mashed

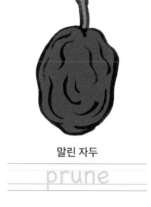

말린 자두

prune

새끼 고양이

kitty

길을 잃은 동물

stray

쓰다듬다

pet

51

VOCABULARY QUIZ

1 그림에 맞는 단어를 퍼즐에서 찾아 표시하고 단어를 써 보세요.

a	g	n	f	a	t	h	e	r	m	j
m	n	s	k	t	e	e	a	k	v	k
q	i	i	g	l	r	h	b	w	f	e
a	g	t	w	k	g	p	f	a	h	s
i	h	q	d	t	d	r	e	t	j	k
o	t	f	h	e	y	u	i	c	h	i
p	k	j	f	r	y	n	o	h	f	n
l	a	m	a	s	h	e	d	y	f	n
v	x	q	r	e	i	o	p	r	j	y
b	o	p	e	n	a	w	i	o	o	w
d	a	q	f	h	s	a	g	g	y	t

night

2 그림에 맞는 단어를 연결하고 빈칸에 알맞은 알파벳을 넣어 보세요.

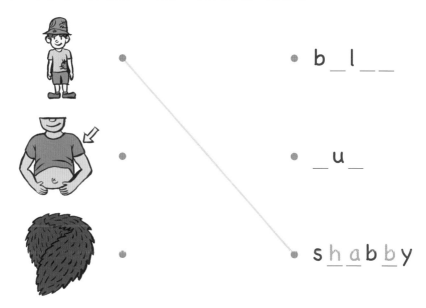

b _ l _ _

_ u _

s _h_ _a_ b b _y_

3 글자를 바르게 배열하여 단어를 완성해 보세요.

e g l

leg

o r o d

i k t y t

t p e

e n o p

y s a t r

s s e t p

r b k a

53

WRAP-UP QUIZ

1 이야기의 순서에 맞게 그림을 배열해 보세요.

a

Henry, Mudge, and Henry's father were watching TV.

b

Henry, Mudge, and Henry's father found a shabby cat.

c

Henry and his father wondered if the cat was a stray.

d

Mudge barked at the door.

 ···▶ ···▶ ···▶

2 다음 질문에 알맞은 답을 선택해 보세요.

1) What did Henry, Mudge, and Henry's father find on their steps?

    a. The prettiest cat they had ever seen

    b. The shabbiest cat they had ever seen

    c. The dirtiest cat they had ever seen

2) What did the cat look like?

    a. Mashed prunes

    b. Mashed tomatoes

    c. Mashed potatoes

3) What did Henry think of the cat?

    a. It might be a bad cat.

    b. It might be sick.

    c. It might be a stray.

3 책의 내용과 일치하면 T, 그렇지 않으면 F를 적어 보세요.

1) Henry opened the door when Mudge barked.   _____

2) The cat had a saggy belly and skinny legs.   _____

3) Henry petted the cat that he found.   _____

The cat might be a stray.
그 고양이는 길을 잃은 고양이일지도 모른다.

어느 날 헨리의 집 앞에 볼품없는 고양이가 찾아왔어요. 헨리는 그 고양이가 길을 잃은 고양이일지도 모른다고 말했죠. 이렇게 "**~일지도 모른다**", "**~일 것 같다**"라고 말할 때는 might be 다음에 사람이나 사물 등의 대상을 쓰거나, might be 다음에 상태를 나타내는 표현을 써요.

might be + [대상/상태]: ~일지도 모른다

He **might be** a millionaire.
그는 백만장자일지도 모른다.

It **might be** a good idea.
그것은 좋은 생각인 것 같다.

The box **might be** heavy.
그 상자는 무거울지도 모른다.

We **might be** late for school.
우리는 학교에 늦을지도 모른다.

우리말과 뜻이 통하도록 네모 안에 들어 있는 말을 바르게 배열해 보세요.

1. 그 그림은 비쌀지도 모른다.

expensive	the painting	might be
비싼	그 그림	~일지도 모른다

The painting might be _____.

2. 너는 그 소식에 놀랄지도 모른다.

surprised	you	might be	by the news
놀라는	너	~일지도 모른다	그 소식에

_____.

3. 그가 우리의 영어 선생님일지도 모른다.

might be	our English teacher	he
~일지도 모른다	우리의 영어 선생님	그

_____.

4. 그녀는 천재일지도 모른다.

a genius	she	might be
천재	그녀	~일지도 모른다

_____.

꼭 기억하세요

might be보다 더 강한 확신을 가지고 말할 때는 must be를 써요.

He might be thirsty.
그는 목이 마를지도 모른다.

He must be thirsty.
그는 목이 마른 것이 틀림없다.

57

VOCABULARY

옮기다 (과거형 carried)

carry

고양이

cat

집, 주택

house

따라가다

follow

꼬리

tail

흔들다

wag

짓이겨진

mashed

말린 자두

prune

끔찍한 일, 재난

disaster

보다

watch

그릇

bowl

머무르다, 가만히 있다

stay

알다

know

허름한

shabby

핥다; 핥기

lick

방문자

visitor

턱

chin

칠면조

turkey

VOCABULARY QUIZ

1 알파벳을 연결해서 단어를 만들고, 알맞은 그림과 연결해 보세요.

2 빈칸에 알맞은 알파벳을 넣어 단어를 완성해 보세요.

ca_r_r_y   f__lo_   tu__ey   _a__ed

__t   sh_bb_   _i_it_r   w__c_

3 그림을 보고 알맞은 단어를 넣어 퍼즐을 완성해 보세요.

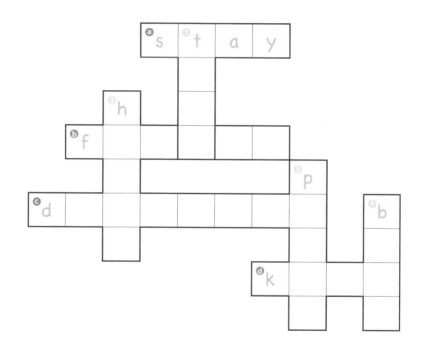

1 이야기의 순서에 맞게 그림을 배열해 보세요.

Henry believed that the cat looked like mashed prunes.

The cat drank three bowls of milk in a row.

Henry's father carried the cat into the house.

Mudge liked the cat a lot.

 ····▶ ····▶ ····▶

2 다음 질문에 알맞은 답을 선택해 보세요.

1) What did Henry's father say when Henry said the cat was nice?
   a. It might be a disaster.
   b. It might be a blessing.
   c. It might be a good pet.

2) How many bowls of milk did the cat drink?
   a. Two
   b. Three
   c. Four

3) What else did Mudge like except the cat?
   a. Turkey gizzards
   b. Mashed prunes
   c. Henry's hat

3 책의 내용과 일치하면 **T**, 그렇지 않으면 **F**를 적어 보세요.

1) Henry's father did not allow the cat to get inside. ＿＿＿

2) Henry's father let the cat stay until they found its owner. ＿＿＿

3) Henry knew that Mudge liked the cat. ＿＿＿

PATTERN DRILL

Can the cat stay?
고양이가 계속 있어도 돼요?

길을 잃은 고양이를 집 안으로 데리고 온 헨리네 가족. 헨리는 아빠에게 고양이가 집에 계속 있어도 되는지 물어봤어요. 이렇게 **"−이 ~해도 되나요?"**라고 묻고 싶을 때는 can 다음에 사람이나 동물 등 행동을 하는 주체를 쓰고 동작을 나타내는 표현을 이어서 써요. 이때 동작 표현은 항상 원래 모습이어야 해요.

Can + [주체] + [동작]?: −이 ~해도 되나요?

Can we go now?
우리가 이제 가도 되나요?

Can I read this book?
제가 이 책을 읽어도 되나요?

Can the baby eat this?
아기가 이것을 먹어도 되나요?

Can we borrow the ball?
우리가 공을 빌려도 되나요?

우리말과 뜻이 통하도록 네모 안에 들어 있는 말을 바르게 배열해 보세요.

1. 제가 여기 앉아도 되나요?

sit	I	here	can
앉다	나	여기	~해도 된다

Can I _____ ?

2. 제가 주스를 좀 마셔도 되나요?

can	drink	I	some juice
~해도 된다	마시다	나	약간의 주스

_____ ?

3. 제 친구가 그녀의 고양이들을 데려와도 되나요?

my friend	bring	can	her cats
제 친구	데려오다	~해도 된다	그녀의 고양이들

_____ ?

4. 우리가 늦게까지 깨어 있어도 되나요?

we	late	can	stay up
우리	늦게	~해도 된다	깨어 있다

_____ ?

5. 학생들이 학교에서 휴대 전화를 사용해도 되나요?

cell phones	can	students	at school	use
휴대 전화	~해도 된다	학생들	학교에서	사용하다

_____ ?

VOCABULARY

허름한

shabby

~이 되다

turn into

수건

towel

벽장

closet

욕조

bathtub

어머니

mother

씻다

wash

더러운

dirty

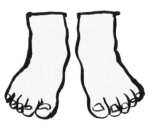

발 (복수형 feet)

foot

쓰다

use

예의

manners

차례; 돌다, 되다

turn

접시

dish

나누다

share

장난감

toy

싫어하다

mind

돌보다

take care of

애완동물

pet

67

VOCABULARY QUIZ

1 그림에 맞는 단어를 퍼즐에서 찾아 표시하고 단어를 써 보세요.

f	n	a	b	n	s	h	a	b	b	y
d	t	r	y	g	y	e	r	v	b	n
i	x	w	e	p	o	i	c	u	n	p
r	f	v	t	o	w	e	l	q	m	o
t	h	k	l	i	e	r	o	w	a	i
y	v	b	n	f	a	q	s	r	n	k
u	w	a	s	h	f	d	e	f	n	j
v	z	c	f	b	n	t	t	v	e	y
q	s	h	a	r	e	u	i	b	r	h
x	b	z	w	t	y	i	y	c	s	n
z	v	b	a	t	h	t	u	b	l	m

_____   _____   _____   _____

_____   _____   _____   _____

2 그림에 맞는 단어를 연결하고 빈칸에 알맞은 알파벳을 넣어 보세요.

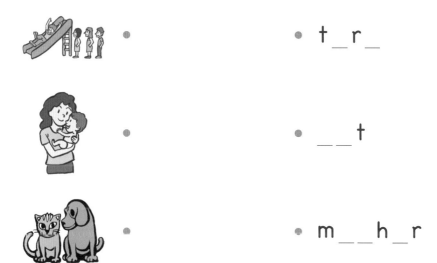

•   •   t _ r _

•   •   _ _ t

•   •   m _ _ h _ r

3 글자를 바르게 배열하여 단어를 완성해 보세요.

s i d h   t f o o   i m d n   t n r u

_____   _____   _____   into

e o l w t   y o t   a c e r   s e u

_____   _____   take _____ of   _____

WRAP-UP QUIZ

1 이야기의 순서에 맞게 그림을 배열해 보세요.

a

Henry's parents did not know what to do with the cat.

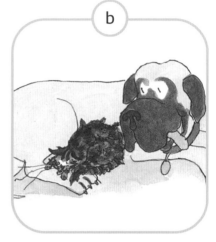

b

In one week the shabby cat became Mudge's mother.

c

The cat taught Mudge good manners.

d

Mudge had to share his toys with the cat.

 ···▶ ···▶ ···▶

2 다음 질문에 알맞은 답을 선택해 보세요.

1) What did the shabby cat turn into in one week?

   a. It turned into a pretty cat.

   b. It turned into a happy cat.

   c. It turned into a fat cat.

2) What did the cat love about Henry's house?

   a. The towel closet, the bathtub, and Mudge

   b. The towel closet, the toilet, and Mudge

   c. The towel closet, the garden, and Henry

3) What did Henry's parents want to do with the cat?

   a. They wanted to take a walk with it.

   b. They wanted to give it to an animal shelter.

   c. They did not want to keep it because of Mudge.

3 책의 내용과 일치하면 T, 그렇지 않으면 F를 적어 보세요.

1) The cat made Mudge use good manners. _____

2) Henry's parents did not like the cat. _____

3) Henry's parents always wanted to have more pets. _____

PATTERN DRILL

In one week **the shabby cat turned into a happy cat.**
일주일 후에 볼품없는 고양이는 행복한 고양이가 되었다.

헨리의 가족과 함께 지내게 된 고양이는 일주일이 지나자 행복한 고양이가 되었어요. 이처럼 어떤 시간이 지나간 것에 대해 말할 때는 **in** 뒤에 시간을 나타내는 표현을 써요. 이렇게 하면 **"~이 지나고"**, **"~ 후에"**, 또는 **"~ 만에"**라는 뜻이 돼요.

in + [시간]: ~이 지나고 / ~ 후에 / ~ 만에

In 30 minutes **the train left.**
30분 후에 그 기차는 떠났다.

In eight days **he arrived at Busan.**
8일 후에 그는 부산에 도착했다.

I have an important meeting in an hour.
나는 한 시간 후에 중요한 회의가 있다.
* 'in + 시간'을 문장의 끝에 쓰기도 해요.

She learned to drive in four hours.
그녀는 4시간 만에 운전하는 법을 배웠다.

우리말과 뜻이 통하도록 네모 안에 들어 있는 말을 바르게 배열해 보세요.

1. 시험이 5일 후에 있다.

five days	**is**	**the exam**	**in**
5일	~이 있다	시험	~ 후에

The exam --- .

2. 그는 한 달 후에 돌아왔다.

he	**in**	**returned**	**a month**
그	~ 후에	돌아왔다	한 달

He --- .

3. 너는 1시간 후에 나에게 전화해 줄 수 있니?

me	**you**	**in**	**call**	**can**	**an hour**
나	너	~ 후에	전화하다	~할 수 있다	1시간

Can --- ?

4. 우리는 2주 후에 새 집으로 이사했다.

moved	**we**	**two weeks**	**to a new house**	**in**
이사했다	우리	2주	새 집으로	~ 후에

We --- .

5. 40분 후에 그들은 그들의 숙제를 끝냈다.

40 minutes	**in**	**finished**	**they**	**their homework**
40분	~ 후에	끝냈다	그들	그들의 숙제

In --- .

VOCABULARY

결정하다

decide

포스터

poster

찾다

find

집, 가정

home

돕다

help

사진

picture

영원히; 영원한

forever

도시

town

식료품점

grocery store

약국

drugstore

음반 가게

record store

짓이겨진

mashed

말린 자두

prune

앉다

sit

소파

couch

허름한

shabby

올라가다

climb

새로운

new

75

VOCABULARY QUIZ

1 알파벳을 연결해서 단어를 만들고, 알맞은 그림과 연결해 보세요.

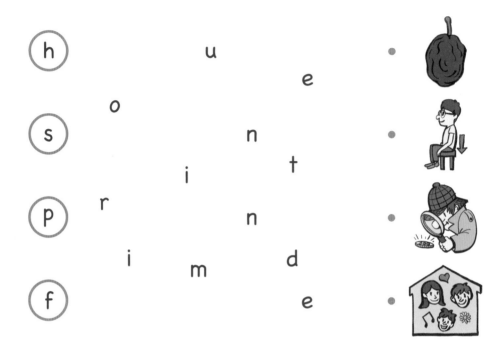

2 빈칸에 알맞은 알파벳을 넣어 단어를 완성해 보세요.

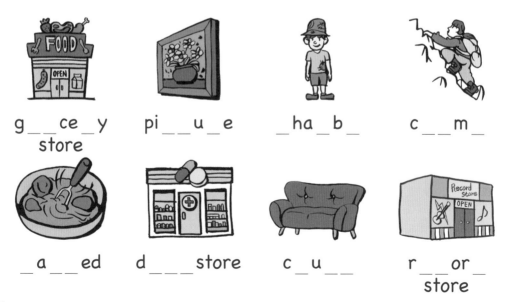

g _ _ ce _ y
store

pi _ _ u _ e

_ ha _ b _

c _ _ m _

_ a _ _ ed

d _ _ _ store

c _ u _ _

r _ _ or
store

3 그림을 보고 알맞은 단어를 넣어 퍼즐을 완성해 보세요.

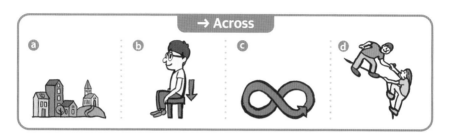

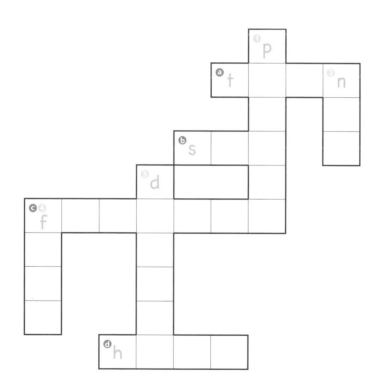

WRAP-UP QUIZ

1 이야기의 순서에 맞게 그림을 배열해 보세요.

a

Henry's family, Mudge, and the cat happily spent time together.

b

Henry's mother made posters to find a home for the cat.

c

Henry and Mudge put posters around the town.

d

Mudge ate one of the posters by accident.

2 다음 질문에 알맞은 답을 선택해 보세요.

1) What did Henry's parents do to find a home for the cat?

a. They took it to an animal shelter.

b. They made posters about the cat.

c. They asked around the town.

2) Where did Henry and Mudge NOT put the posters?

a. The drugstore

b. The grocery store

c. The book store

3) What did Henry and Mudge find when they came home?

a. That Henry's parents played with the cat

b. That Henry's parents fed the cat some milk

c. That Henry's parents sat on the couch with the cat

3 책의 내용과 일치하면 T, 그렇지 않으면 F를 적어 보세요.

1) Henry's mother did not put the cat's picture on the posters. _____

2) Henry lost some of the posters by mistake. _____

3) The posters did not say anything about mashed prunes. _____

유용한 영어 표현

Henry's mother decided to make posters.
헨리의 엄마는 전단지들을 만들기로 결심했다.

고양이를 계속 기를 수 없었던 헨리의 가족. 그래서 헨리의 엄마는 고양이의 주인을 찾아 주려고 전단지를 만들기로 결심했어요. 이렇게 "**~하기로 결심하다**" 또는 "**~하기로 결정하다**"라고 말할 때는 **decide to** 다음에 동작을 나타내는 표현을 써요. 이때 동작 표현은 항상 원래 모습이어야 해요.

decide to + [동작]: ~하기로 결심하다 / 결정하다

I decided to learn Spanish.
나는 스페인어를 배우기로 결심했다.

They decided to move to New York.
그들은 뉴욕으로 이사하기로 결정했다.

He decided to change his hairstyle.
그는 자신의 머리 스타일을 바꾸기로 결심했다.

We decided to keep the stray.
우리는 그 길 잃은 동물을 기르기로 결정했다.

우리말과 뜻이 통하도록 네모 안에 들어 있는 말을 바르게 배열해 보세요.

1. 나는 더 오래 머물기로 결심했다.

decided to	stay	I	longer
~하기로 결심했다	머무르다	나	더 오래

I decided to

-- .

2. 우리는 그 장난감을 사기로 결정했다.

buy	decided to	the toy	we
사다	~하기로 결정했다	그 장난감	우리

-- .

3. 그 디자이너는 새로운 드레스를 만들기로 결심했다.

make	the designer	a new dress	decided to
만들다	그 디자이너	새로운 드레스	~하기로 결심했다

-- .

4. 내 어머니는 여행을 미루기로 결정했다.

postpone	the trip	my mother	decided to
미루다	여행	내 어머니	~하기로 결정했다

-- .

5. 그녀는 의사가 되기로 결심했다.

she	a doctor	become	decided to
그녀	의사	~이 되다	~하기로 결심했다

-- .

VOCABULARY

많은

a lot of

몇몇

some

무례한

rude

놀리다

make fun of

보다

watch

회색의

gray

놀라운 일; 놀라게 하다

surprise

주차하다; 공원

park

~의 앞에

in front of

집, 주택

house

경찰관

policeman

돕다

help

궁금해하다

wonder

지갑

purse

다른

different

독특한

unique

팔

arm

입을 맞추다

kiss

VOCABULARY QUIZ

1 그림에 맞는 단어를 퍼즐에서 찾아 표시하고 단어를 써 보세요.

e	y	u	w	o	n	d	e	r	o	d
g	a	z	j	t	w	q	y	j	h	d
b	s	u	r	p	r	i	s	e	c	i
n	v	a	q	a	e	r	k	j	b	f
a	w	r	j	h	y	w	b	u	f	f
k	j	f	z	w	r	a	n	n	j	e
j	h	f	x	a	e	r	u	i	i	r
p	u	r	s	e	w	m	t	q	d	e
a	e	q	t	r	y	p	s	u	b	n
r	q	u	b	n	m	l	u	e	t	t
k	c	h	e	l	p	i	y	r	e	r

_____ _____ _____ _____

_____ _____ _____ _____

2 그림에 맞는 단어를 연결하고 빈칸에 알맞은 알파벳을 넣어 보세요.

 •

• _ o _ e

 •

• r _ _ e

 •

• po _ i _ e _ an

3 글자를 바르게 배열하여 단어를 완성해 보세요.

o l t

a _____ of

y r a g

_____

e h o s u

_____

o n t f r

in _____ of

k s i s

_____

u n f

make _____ of

p e h l

_____

w t h c a

_____

85

1 이야기의 순서에 맞게 그림을 배열해 보세요.

a

One day a policeman came to Henry's house.

b

A lot of people came to see the cat.

c

The policeman came to find his cat, Dave.

d

Henry's father wondered if Mudge had done something wrong.

2 다음 질문에 알맞은 답을 선택해 보세요.

1) What did some people do when they came to see the cat?

   a. They tried to take Mudge instead.

   b. They said that it was theirs.

   c. They made fun of the cat.

2) What did Henry's father think when he saw the policeman?

   a. That Mudge had made trouble

   b. That Henry was in trouble

   c. That he had parked his car wrong

3) What was the cat's real name?

   a. Dave

   b. Oscar

   c. Garfield

3 책의 내용과 일치하면 T, 그렇지 않으면 F를 적어 보세요.

1) A lot of people wanted to take the cat home.   _____

2) The policeman said that his cat was unique.   _____

3) The cat belonged to the policeman.   _____

No one **seemed to** want the cat.
아무도 그 고양이를 원하는 것 같지 않았다.

전단지를 보고 많은 사람들이 찾아왔지만, 아무도 그 고양이를 원하는 것 같지 않았어요. 이렇게 **"~하는 것 같다"**라고 말할 때는 **seem to** 다음에 동작을 나타내는 표현을 써요. 이때 동작 표현은 항상 원래 모습으로 와야 해요.

seem to + [동작]: ~하는 것 같다

You **seem to** like this flower.
너는 이 꽃을 좋아하는 것 같다.

They **seem to** enjoy the show.
그들은 그 공연을 즐기는 것 같다.

He **seemed to** be disappointed.
그는 실망한 것 같았다.

Nothing **seemed to** matter.
아무것도 중요하지 않은 것 같았다.

우리말과 뜻이 통하도록 네모 안에 들어 있는 말을 바르게 배열해 보세요.

1. 너는 무척 바쁜 것 같다.

you	very busy	be	seem to
너	무척 바쁜	~이다	~하는 것 같다

You seem to
--- .

2. 그 학생들은 그들의 선생님을 좋아하는 것 같다.

like	the students	their teacher	seem to
좋아하다	그 학생들	그들의 선생님	~하는 것 같다

--- .

3. 이 제품들은 고장난 것 같다.

broken	seem to	these products	be
고장난	~하는 것 같다	이 제품들	~이다

--- .

4. 그 여자아이는 그 이야기를 믿는 것 같았다.

believe	the girl	seemed to	the story
믿다	그 여자아이	~하는 것 같았다	그 이야기

--- .

5. 그의 기침이 더 심해지는 것 같았다.

worsen	seemed to	his cough
더 심해지다	~하는 것 같았다	그의 기침

--- .

VOCABULARY

~을 보다

look at

좋아하다

like

경찰관

policeman

깨끗한

clean

목

throat

슬픈

sad

수건

towel

벽장

closet

닫힌; 닫다

shut

욕조

bathtub

비어 있는

empty

낮잠

nap

현관

porch

쪽지

note

삼십

thirty

뼈

bone

금색의

gold

배지

badge

VOCABULARY QUIZ

1 알파벳을 연결해서 단어를 만들고, 알맞은 그림과 연결해 보세요.

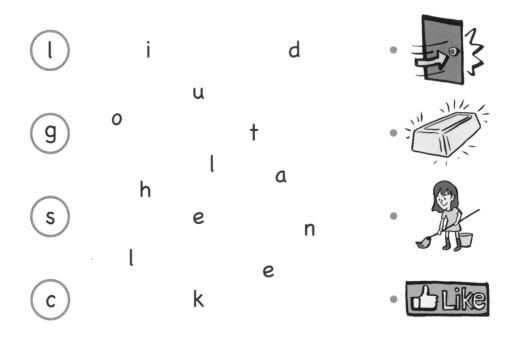

2 빈칸에 알맞은 알파벳을 넣어 단어를 완성해 보세요.

lo __ __ at   __ o __ __   __ l __ n   __ __ d

__ lo __ t   ba __ __ t __ b   n __ __   b __ d __ __

3 그림을 보고 알맞은 단어를 넣어 퍼즐을 완성해 보세요.

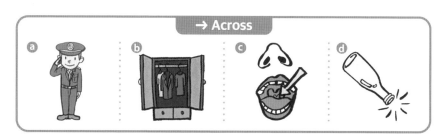

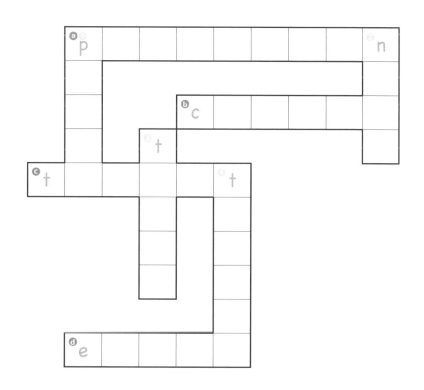

1 이야기의 순서에 맞게 그림을 배열해 보세요.

Henry did not want Mudge to lose his cat mother.

The house felt so empty without the cat.

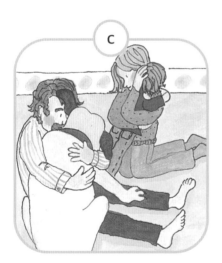

Henry's parents had to comfort both Henry and Mudge.

Henry and Mudge got a big present.

2 다음 질문에 알맞은 답을 선택해 보세요.

1) How did the policeman know that his cat liked Mudge?

   a. He saw that Mudge had very clean ears.

   b. He saw his cat sit close to Mudge.

   c. He saw his cat keep looking at Mudge.

2) What did Henry have to do when he felt sad?

   a. He had to take a walk alone.

   b. He had to eat crackers.

   c. He had to cry a little.

3) Which of the following was NOT in a big box from Dave?

   a. A golden police badge

   b. A lot of canned dog food

   c. Giant dog bones

3 책의 내용과 일치하면 T, 그렇지 않으면 F를 적어 보세요.

1) Henry was happy when the cat was gone.   _____

2) Mudge had to whine a lot when he felt sad.   _____

3) Mudge shared the police badge with Henry.   _____

PATTERN DRILL

Henry didn't want Mudge to lose his mother.
헨리는 머지가 녀석의 엄마를 잃는 것을 원하지 않았다.

드디어 고양이의 주인이 나타났어요! 주인을 찾은 것은 기쁜 일이었지만, 헨리는 머지가 엄마처럼 생각했던 고양이를 잃는 것을 원하지 않았어요. 이렇게 **"-이 ~하기를 원하다"**라고 말할 때는 want 다음에 행동을 할 대상을 쓰고, 이어서 to와 동작을 나타내는 표현을 써요. 이때 동작 표현은 항상 원래 모습으로 써야 해요.

want + [대상] + to + [동작]: -이 ~하기를 원하다

I want my dog to live long.
나는 내 개가 오래 살기를 바란다.

My parents want me to become a doctor.
내 부모님은 내가 의사가 되기를 원한다.

The teacher wanted her students to tell the truth.
선생님은 그녀의 학생들이 진실을 말하기를 원했다.

They wanted me to set the table.
그들은 내가 상을 차리기를 원했다.

우리말과 뜻이 통하도록 네모 안에 들어 있는 말을 바르게 배열해 보세요.

1. 나는 네가 이 책을 읽기를 원한다.

want	read	this book	to	you	I
원하다	읽다	이 책	~하기	너	나

I want
- .

2. 우리는 그가 우는 것을 멈추기를 원한다.

crying	to	him	want	we	stop
우는 것	~하기	그	원하다	우리	멈추다

- .

3. 그녀는 그들이 그것을 믿기를 원했다.

believe	them	wanted	she	to	it
믿다	그들	원했다	그녀	~하기	그것

- .

4. 너는 내가 떠나기를 원했다.

me	leave	you	to	wanted
나	떠나다	너	~하기	원했다

- .

5. 내 여동생은 내가 노래하기를 원했다.

to	me	my sister	sing	wanted
~하기	나	내 여동생	노래하다	원했다

- .

ANSWERS

Part 1

Vocabulary Quiz

1.
a	g	n	f	a	t	h	e	r	m	j
m	n	s	k	t	e	e	a	k	v	k
q	i	i	g	l	r	h	b	w	f	e
a	g	t	w	k	g	p	f	a	h	s
i	h	q	d	t	d	r	e	t	j	k
o	t	f	h	e	y	u	i	c	h	i
p	k	j	f	r	y	n	o	h	f	n
l	a	m	a	s	h	e	d	y	f	n
v	x	q	r	e	i	o	p	r	j	y
b	o	p	e	n	a	w	i	o	o	w
d	a	q	f	h	s	a	g	g	y	t

2.
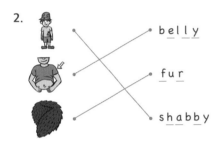

belly

fur

shabby

3. leg / door / kitty / pet
   open / stray / steps / bark

Wrap-up Quiz

1. a ⟶ d ⟶ b ⟶ c

2. 1) b   2) a   3) c

3. 1) F   2) T   3) T

Pattern Drill

1. The painting might be expensive.

2. You might be surprised by the news.

3. He might be our English teacher.

4. She might be a genius.

Part 2

Vocabulary Quiz

1.
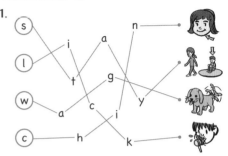

2. carry / follow / turkey / mashed
   cat / shabby / visitor / watch

3.
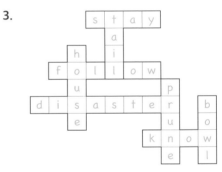

Wrap-up Quiz

1. c ⟶ a ⟶ b ⟶ d

2. 1) a   2) b   3) a

3. 1) F   2) T   3) T

Pattern Drill

1. Can I sit here?

2. Can I drink some juice?

3. Can my friend bring her cats?

4. Can we stay up late?

5. Can students use cell phones at
   school?

Part 3

Vocabulary Quiz

1.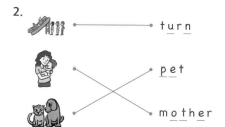

f	n	a	b	n	s	h	a	b	b	y
d	t	r	y	g	y	e	r	v	b	n
i	x	w	e	p	o	i	c	u	n	p
r	f	v	t	o	w	e	l	q	m	o
t	h	k	l	i	e	r	o	w	a	i
y	v	b	n	f	a	q	s	r	n	k
u	w	a	s	h	f	d	e	f	n	j
v	z	c	f	b	n	t	t	v	e	y
q	s	h	a	r	e	u	i	b	r	h
x	b	z	w	t	y	i	y	c	s	n
z	v	b	a	t	h	t	u	b	l	m

2.

t u r n

p e t

m o t h e r

3. dish / foot / mind / turn into

towel / toy / take care of / use

Wrap-up Quiz

1. b ⋯→ c ⋯→ d ⋯→ a

2. 1) b   2) a   3) c

3. 1) T   2) F   3) F

Pattern Drill

1. The exam is in five days.

2. He returned in a month.

3. Can you call me in an hour?

4. We moved to a new house in two weeks.

5. In forty minutes they finished their homework.

Part 4

Vocabulary Quiz

1.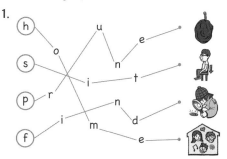

2. grocery store / picture / shabby / climb

mashed / drugstore / couch / record store

3.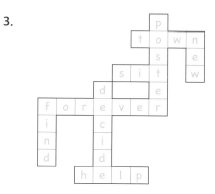

Wrap-up Quiz

1. b ⋯→ c ⋯→ d ⋯→ a

2. 1) b   2) c   3) c

3. 1) T   2) F   3) T

Pattern Drill

1. I decided to stay longer.

2. We decided to buy the toy.

3. The designer decided to make a new dress.

4. My mother decided to postpone the trip.

5. She decided to become a doctor.

ANSWERS

Part 5

Vocabulary Quiz

1.
e	y	u	w	o	n	d	e	r	o	d
g	a	z	j	t	w	q	y	j	h	d
b	s	u	r	p	r	i	s	e	c	i
n	v	a	q	a	e	r	k	j	b	f
a	w	r	j	h	y	w	b	u	f	f
k	j	f	z	w	r	a	n	n	j	e
j	h	f	x	a	e	r	u	i	i	r
p	u	r	s	e	w	m	t	q	d	e
a	e	q	t	r	y	p	s	u	b	n
r	q	u	b	n	m	l	u	e	t	t
k	c	h	e	l	p	i	y	r	e	r

2.

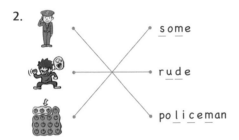

some

rude

po l i c e man

3. a lot of / gray / house / in front of

kiss / make fun of / help / watch

Wrap-up Quiz

1. b ⋯→ a ⋯→ d ⋯→ c

2. 1) c   2) a   3) a

3. 1) F   2) T   3) T

Pattern Drill

1. You seem to be very busy.

2. The students seem to like their teacher.

3. These products seem to be broken.

4. The girl seemed to believe the story.

5. His cough seemed to worsen.

Part 6

Vocabulary Quiz

1.

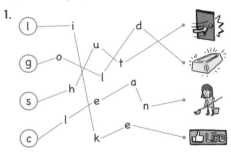

2. look at / bone / clean / sad

closet / bathtub / nap / badge

3.

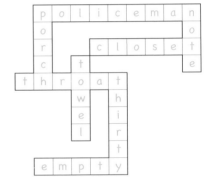

Wrap-up Quiz

1. a ⋯→ b ⋯→ c ⋯→ d

2. 1) a   2) c   3) b

3. 1) F   2) F   3) T

Pattern Drill

1. I want you to read this book.

2. We want him to stop crying.

3. She wanted them to believe it.

4. You wanted me to leave.

5. My sister wanted me to sing.